# Das Baby

John Burningham

Das Baby

Deutsch von Rolf Inhauser


(Titel der englischen Originalausgabe: *The Baby*)

First published by Jonathan Cape Ltd., London



Printed in Hong Kong

ISBN 3-7941-4141-5
Bestellnummer 01 04141



Die Deutsche Bibliothek – CIP-Einheitsaufnahme

**Burningham, John:**
Das Baby / John Burningham. Dt. von Rolf Inhauser. –
Aarau ; Frankfurt am Main ; Salzburg : Sauerländer, 1997
Einheitssacht.: The baby <dt.>
ISBN 3-7941-4141-5
NE: HST

John Burningham

# Das Baby

Deutsch von Rolf Inhauser

Verlag Sauerländer
Aarau · Frankfurt am Main · Salzburg

Wir haben ein Baby.

Es macht eine Schweinerei
mit seinem Essen.

Wir fahren mit ihm
im Kinderwagen spazieren.

Manchmal helfe ich Mama,
das Baby zu baden.

Das Baby schläft
in einem Gitterbett.

Manchmal mag ich
das Baby.

Manchmal nicht.

Es kann noch nicht
mit mir spielen.

Hoffentlich wird das Baby
schnell größer.

Und die anderen Titel:

Die Decke

Der Freund

Der Hund